中國書店藏珍貴古籍叢刊

竹岩詩草

清·邊中寶 撰

中國書店

據中國書店藏清乾隆精刻本影印原書版框高十八厘米寬十三點四厘米

出版説明

中國書店自一九五二年成立起，一直致力于古舊文獻的收購、整理、保護和流通工作，于年復一年的經營中，發掘、搶救了大量珍貴古籍文獻。在滿足圖書館、博物館、研究所等相關單位及讀者購書需求的同時，中國書店還保存了一定數量的古籍文獻，其中不少具有極高的學術價值和文物價值，却傳本稀少，甚至别無復本。有鑒于此，中國書店對這些古籍善本進行了科學、系統的整理，以編輯《中國書店藏珍貴古籍叢刊》的形式影印出版，使孤本、善本化身千百，發揮更大的作用。本輯所選爲：

《竹岩詩草》二卷，清邊中寶撰。

邊中寶，字識珍，一字適畛，號竹岩，任丘人，生卒年不詳。乾隆戊午舉人，官遵化學正。曾與其弟邊連寶合刊《南游塤篪集》。著有《竹岩詩草》。

《竹岩詩草》爲邊氏家刻本，刊于清乾隆四十年（一七七五）。此類家刻詩集往往僅刻印很少一部分以贈送親友，故傳本罕見。

中國書店所藏《竹岩詩草》即爲清乾隆四十年刻本。是書半頁九行，行十九字，白口、單魚尾，左右雙邊。初印本，以連史紙精印，保存良好。

鑒于清代刻本日漸受到重視，中國書店在《中國書店藏珍貴古籍叢刊》的編輯過程中，特從所藏清刻本中擇取傳本稀見、刻印精良，又具有一定學術價值的清刻古籍影印出版，以滿足專家、學者及廣大傳統文化愛好者的需求，推動古籍文獻整理與相關學術研究。

中國書店出版社

癸巳年夏月

竹巖太翁先生以詩若干卷授簡於錡囑爲之序
姿學謭陋何能窺測萬一顧聞詩之爲教也其旨
婉其思深其音響合於自然之節奏而以和平温
厚爲指歸殆三百篇垂教之大要與太翁嘗謂錡
曰性情流露于詩猶桴鼓之相應也彼悲憤悽惻
之音如猿嘯空山蟲吟秋月非必其人之實遭轗
軻特逞其性之所近遂彷彿於郊瘦島寒余雖學
而弗逮也錡竊識太翁性情之旨尤足徵信於詩
矣蓋翁以淡泊淳古之質安雅淵穆之度耄而好

學矻矻孜孜日手一編而弗輟故發爲詩也如瑶
琴石磬逸韻鏗鏘豐而不失諸靡約而不失諸促
極性情之發越爲古爲今而體裁一歸于正雖當
日帳開村塾座冷青氊陶然自適饒有雍容懿雅
之風是殆發以天倪所不期然而然詎稍涉悲憤
悽惻鄰於孟郊賈島之寒瘦者哉閒嘗于親炙日
久綜計翁之生平壯齡以前窮而弗絀耆年以後
達而弗羸即今禄養蕪城惟刻刻以矢公矢慎保
泰持盈爲誡其忠孝友于之天懷隨境所觸形爲

咏歌勃然感發于不能已溯源三百實不誣歟而
太和拓其胄次厚積發爲輝光優游杖履之下壽
考康寧更于攸好德卜之矣錡中有所感不能以
譾陋辭勉附數語得以挂名卷末亦自謂厚幸云
乾隆乙未中秋武林晚學王錡拜撰

竹巖詩草 上卷

任邱邊中寶適昣

即事咏懷兼呈馬扶東舅

淹蹇由來笑腐儒荒村作客惠連俱三年獻賦雄心阻百里傭書生計迂老母鬢斑親井臼諸昆星散累妻孥渭陽咫尺能相訪差喜詩瓢興不孤

贈軒中竹

同人異地嘆飛蓬客裏聯交竹一叢三載依君牎牖下五更酬我雨風中凌雲未遂節先直出土由來心自空不有睢園爲伴侶誰能久滯易陽東

秋雨夕喜舍弟至館

晚色羣芳靜涼飈送雨來悲吟宋玉句喜值惠連回促婦炊粗糲呼鄰度酒壘高堂應健在旅館每縈懷

趙北口雜興八首

萬頃風潭瀾横流一徑長行行三四里村塢宛中央

沙堵浮湖面居人數百家一舟縹緲去到處是生

涯

開畦傍水泜緣架小瓜垂野老澆園罷籬邊穩睡時

垂髫憐稚子善没過吳兒銜浪矜游泳旋來理鈞絲

珠眠荷葉穩泉滴柳梢遲雨過鸕鷀戲游魚渾不知

舟子遠相招帆檣欲蔽霄風輕吹浪細漫渡昜昜橋

涼風生遠浦廻岸舞垂楊酒舍濃陰下停橈飲一觴

日落白雲飛天光上下輝漁翁歌欸乃帶月荷罛歸

瓜園小飲

蕭然草榭枕沙隄雨歇園林入望迷野老摘瓜籬畔去遥聞沽酒喚前溪

沽來斗酒飲東陵綠葉幡幡瓜瓞橫一榻栖遲天地濶四圍深柳亂蟬鳴

哭井氏姊

死別終須有何期竟此辰初聞驚若夢慟定恍疑真佐餕危匝在招魂粢麥陳最憐歸嫁後久作未亡人

黯黯高雲黑蕭蕭夜月凉一棺孀女殯九折老親腸先後鴻俱逝零丁雛早亡魂兮何所倚孤匶寢中堂

草堂

草堂跂翼江干起一片波明照客几美陂難與旱

颸爭河伯重開浣花水溪水奔流堂若浮晚來銜出月輪秋我乘明月讀秋水心隨水月共悠悠

玉簪花

溽暑微收露氣侵晚粧臺上幾沉吟嬌容無那金鈿重天放輕盈白玉簪

長笄琢玉玉無痕那許村粧帶曾璠號國蛾眉纔淡掃橫簪一朶最銷魂

題王氏別業

地僻塵囂遠心閒靜趣多半軒浮碧水一榻穩烟

蘿菡萏徐徐放鸕鷀欵欵過主人容假館觴咏意
如何

啓塾荒村外侵晨捲絳紗課餘閒試酒讀罷即澆
花時倚簷前樹遥看嶺上霞偶然同野老席地話
桑麻

哭業師兩三叔祖暨亮夫益齋兩叔並咭徑
蹊叔

叔祖品正學醇爲士林楷模主一邑文教
闈發書旨精詳平易後學皆宗之遽乎雍
正二年春夏之交遭時疫全家俱困床第
而公洎伯仲兩子相踵而亡嗚乎以公之
純德乃慘遭此禍耶抑亦氣數促之莫能
逭也中實少年失怙蒙教誨不至墮落俯
仰今昔不知感慟何從也謹誄以詩

先生今已矣文教竟何如悶悶迎風炬昏昏載鬼
車談經猶憶昨問字頓非初遺筆時披閲潸然泪
濕裾

積善非望報罹憂乃太残全家遭二豎盈室卧三

棺桑海崇朝變冰霜五月寒問天天不語搔首恨
無端
中也年逾冠依然迷渡津先生不遐棄提誨坦而
真風月方親挹龍蛇乃遽臻心喪常耿耿何處弔
靈均
璞玉幽光没融金奈若何（病時夢見六十九歲融金一札適符公算應是讖語）奠楹應是讖薤露那能歌啓後將誰寄承先詎
有他棘人還自愛哀毁愼無過

團扇郎

爲保定某生作生暱一婢欲佐饘爲親命所格而不能割愛也贈之以詩

新裂齊紈素製爲團團扇一自投君懷温和體輕便朝暮掌中擎珍重如金鈿袖裏深深藏秘不令人見感君意綢繆爲君息炎熇大火西南流時序忽已變飄風颯颯摧浪擲隨花片君器如圭璋儂質如襪線漂泊儂何傷傷君情眷眷渺渺天上雲飄飄水中蘋離合應有數胡爲徒苦辛君意猶切切遺佩還捐玦君非薄倖人儂心忍决絶葛屨難

行霜寄語團扇郎願言保令名弧矢志四方

隰苓兄旅櫬歸自江西詩以哭之

落寞詞壇憶舊遊當年康樂最綢繆只言訪勝滕王閣詎料修文白玉樓燕士悲歌聲已歇卞生懷璧涕空流南天招得魂來否聊爾題詩慰首丘

赴任縣訓導任留别王恭甫前輩時候檄保定主其家

誼屬通家好居停許造廬拂總垂竹樹盈案富詩書樂道心逾古忘形情不疎感君多惠好顧我竟何如親老躭窮宦家貧就薄糈西風吹匹馬南鴈引單車去去悲離别行行念起居臨岐頻慰藉把

袂意躊躇

輓易州魏烈婦王氏

易州自古多英傑田光荊軻稱奇絕義氣嶙峋孰與儔金閨女士差堪埒王家少女魏家婦心擬瑶池古冰雪憶自于歸六度春齊眉舉案何曾褻無端二竪棲藁砧左右扶持心力竭原期琴瑟永相調誰知玉樹旋摧折所天無復大刀頭紅顔珠淚都成血肌骨强支神已亡泉臺繚繞愁思結燬焚

衣履暗呑砒臟腑須臾應割裂倉皇奔救累姑嫜
殘喘甦來更嗚咽姑言兒視死如歸而夫遺恨徒
悽切且待小叔有子時嗣兒免教夫祀滅從玆勉
作未亡人頤養高堂祝哽噎相將叔季及冠婚猶
子爲子無區别兩叔長大善承歡弱息垂髫免提
挈死裏回生十七年事存事歿兩無缺夫櫬新遷
坎下（村名）塋怦怦此意思同穴整容背謝舅姑恩投
繯午夜完貞節君不見郎山矗矗勢嵯峩雷溪潺
潺清且潔山川靈秀毓奇姿前有男忠後女烈我
欲提筆飛上最高峰烈忠雙勒燕山碣

蔡橋曉月

曉夜尋幽境沿溪十里遥晨鐘來寺觀曙鼓集漁
樵黯淡天淵月氤氳上下橋蟾光低樹杪羲馭隱
江湖星散山嵐現波澄野霧消漸看欄下石微見
水中藻陸澤朱霞滿龍岡紫氣饒雞鳴聲未歇鴻
唳韻初調勝地真瀟灑平明遠俗囂河梁殘照没
憑檻意蕭蕭

贈維秋水

有客有客字秋水豐儀玉立才華美與我締交渚水陽貽我柏梁歌一紙嘹喨如聞塞上鴻藐姑綽約神儒子興來發篋一披讀斗室輝輝光燄起余家世住古虞邱君籍河東萬山裏萍水相逢此一區旋次壺觴不孤矣客裏文壇君主盟手執牛耳不歃牲邾莒方欣依齊魯胡爲北去柏人城驪歌一唱那堪聽邇來搔首嗟晨星任柏相違不百里暮雲春樹俱冥冥怪君底事東西走多因命數奇不偶卞和獻璞已刖足何處王孫逢漂母自來枘

鑿難與投三年操瑟夫何取箇中甘苦鄙人知其以吾言爲然否君不見太阿在匣光熠熠懐玉終當善價集又不見昂昂野鶴雞羣立

和雒秋水九日作　原注有酒無花悶悶登城

吳江楓落客心驚節屆重陽百緒并饒有白衣將美醞更無黃菊泛秋英太行蒼淡山容老大陸蕭寥水氣清極目鄉關鴻鴈少知君登眺不勝情

寄家長兄

尺素封函付去鴻遥憐伯氏已成翁男婚女嫁何

多累筆耕書總是窮俸薄猶堪供藥餌官閒不礙課兒童故園兄弟關情甚廿載分飛嘆轉蓬

王竹坡明府路過渚陽寓中招飲即席賦贈 王名勛山西盂縣人任舊令

尚憶河陽有舊遊停車折柬意綢繆但須榾柮消殘夜莫爲樽罍典敝裘看劍不知頻倒斝檢書一任促更籌對岩亭上題詩在往日相思幾度秋

再贈王明府

森森朔氣逼龍岡有客來思自晉陽千里關山踏

羸馬三冬冰雪貯奚囊龍蛇跡走鷟溪絹商羽音流薛荔墻矍鑠是翁誰得似輸君草聖與詩狂

雪中供事貢院次吴學使畢巡察原韻

東風未暖五花催星使雙臨棨戟開那有珊瑚盈鐵網惟餘冰玉照霜臺威揚節鉞勤封事德被菁莪育茂才自愧迂疏老博士親承提誨凜風雷

秋夜雨中口占

疎雨灑秋牕徹聞花落片無語對寒檠雲邊一聲鴈

京庠勸學詩

人生天地間精氣聚二五身据萬物巔胡爲翻自侮賦稟間有殊材力胥可努顏子鑄以愚曾參得以魯道岸誕先登其人足千古葳蕤園中花熠燿林中羽光榮無幾時厥質倏已腐賢聖有前軌儒者當繼武雕蟲工小技大道竟何補

樹木當樹本濬水須濬源源源深流以達本固枝應繁俗儒侈遠略奮翮逞高騫朝游扶桑國暮宿向崑崙如彼風中絮飄蕩無本根百行有權輿忠孝

古所敦

天地有三大鼎立於八垓巍然君親師教育成我材窮經而服古將以報涓埃所志在喫着安得命世才

世俗喜結納觴豆如環轉意氣非不濃性地終覺淺我入芝蘭室對蘭披書卷久之與俱化清芬襲衣覓相交意泊然久敬情無舛豪俠誰家子矛戟生歌宴

丈夫在天壤所恃惟名節名節一以虧萬事隨瓦

裂軒然七尺軀豈以供鑿折卓哉廡下翁誓不因人熱

我寧甘其拙人自逞其巧巧爲世所爭拙乃身之寶恂恂里巷間朴訥亦自好神凝志不紛性天常自保大木枝曲拳斤斧弗來擾七竅鑿甫成混沌巳就槁

日月有薄蝕金石有虧缺令名德之輿弃世無歇絶高節軼塵倫聖哲足頏頡闒然庸衆伍草木同摧折没世疾無稱此語殊痛切姱脩不及時秋風鳴鶗鴂

當境有切圖夙夜宜黽勉一息身尚存功力不容緩悠悠朝復夕白髮忽巳滿聰明老益衰壯志不克展所事一無成誰云歲月短

學者有大患所患在氣盈讀書與涉世一得輒自鳴譬彼鍾與釜器狹寡所盛受少即旁溢巳溢旋復傾嗟爾諸君子遠大所當爭淡泊明其志寧靜赴厥程珠藏川自媚玉韞石自瑩勞謙尊而光地道可上行

人心有所徵夢寐爲究竟夢寐所不爲始信根株
淨外所不及遭不爲未非命諸惡令莫作惟有敬
能勝
古聖垂明訓朝廷制法律法律或倖免鬼神鑒幽
密天道聿可畏森然在爾室操躬凛淑慝一念兆
凶吉輿窔不及窺小人徒自逸
靜驗靈臺妙渟泓一潭水淵淵息以深冽冽清而
淡混混永晝夜灝灝達閭尾孰與造其端孰與竟
其委只此方寸地萬化從兹起天君桎衆形靈根

倏以毀厥流既泥淖厥源亦窒否蠢蠢血肉質形
貌徒人爾感此慘中腸清夜汗流泚存亡爭一息
吾自念厥始
韓子古大儒慨然著原道大醇間小疵不免晦翁
誚乃知儒者言淺深隨所造學淺而言深十有九
不肖窶子作富言正復難爲貌楊雄何如人乃敢
談元妙
大文有自來六經爲星宿選精以立言終古不僵
仆或染春意濃或割秋容瘦總以理爲質字句無

飣餖天吳綴裋褐土木披文繡欲以鬭麗靡所見何庸陋根株所當培枝葉所當耨雅正而清真聖訓明如晝

萬類何其繁天地何其博約以四子書四子特郛郭二酉與五車無非真玉鑰胡爲守一經餘者置高閣埋頭腐臭中甲乙相剽掠譬之水無源安得不速涸勗哉二三子自待勿菲薄讀破萬卷書八極供揮霍

孟氏稱求福雅詩頌干祿祿不諱言干有德乃無

恧得失自鏡心涼熱憑時目我躬苟克臧何事紛徵逐勦襲獵科名剽竊爲塲屋縱復有所獲無乃愧幽獨

貧富與貴賤位置各有局彼昏何不知得隴復望蜀乙雖遜於甲丙丁以次續常作退步觀隨地可自足謀道首固窮用爲同人告古人曾有言知足斯不辱

我有幽蘭姿芰植愼厥始滋以九畹畦藉以阰巒坻飫以沆瀣氣潤以太液水叢生蔭玉池葉綠莖

亦紫郁郁發國香紉佩屬君子空谷閴無人幽芳
徒爾爾蕭艾何能化孤踪竊自喜啞彼桃李花賣
笑春風裏
跬步行不歇萬里可趨赴涓滴流不息江河可灌
注敦敦矩矱中智巧將神遇舍却下學功上達豈
有路毋爲躁心牽毋爲捷徑誤躁急反不達捷徑
每窘步
此生不易得矧值 聖明時 聖明難際會
矧爾在京師 天子御宇內謨烈紹 前徽

愷澤被四隩聲教訖九圍三輔爲首善淪浹髓與
肌既已導道路豈用吸吸爲 中也草茅士謭陋無
所知筮仕古襄國黽勉副前司奉 命遷京學
緘默非所宜懇懃攄胸臆矢爲勸學詩願與爾多
士亹亹共勉之

香山分韻得秋字

信步扶笻去扳歡得勝遊蒼茫山意老颯爽樹容
秋拈韻依松蔭彈棋踞石頭慇懃訂後約把酒嘆
蜉蝣

秋夜同戴通乾海涵百兩寅丈聽泉

尋幽來午夜磵道石泉飛冷韻涵雲氣哀湍瀉月輝頓令詩思遠翻覺俗情非好友堪聆此銜杯坐翠微

來青軒

迢遥屐齒印莓苔策杖臨軒此暢懷一閣插天衢翠入萬山排闥送青來霜林灼灼勻鋪錦寒溜潺潺輕放雷怪底風雲爭擁護　璇題光繞畫簷開軒有御書匾額

再遊香山

歲月驚彈指閒遊趁此身山川留勝概來往莫辭頻遠樾藏蕭寺寒光洗俗塵禪扉方剥啄爭識舊游人

崎嶇攀鳥道下榻梵王家蛩老還吟砌僧貧再具茶泉流心轉寂林響境無譁幽賞渾難厭談深待月華

卧佛寺

佛在何方卧招尋日欲昏捫蘿緣石磴溯水到沙

門色相遺塵世清虛入夢魂維摩高枕後別具一乾坤

櫻桃溝

亂石巉巖拔地起兩峯夾竦雲端裏窅窱深溝一徑通奇形怪狀難摹擬或如秋隼互飛騰或如異獸相角犄或如臺榭勢參差或如魑魅相窺視巍巍高峙帝王尊層層羅列皆兒孫對之心目乍驚眩飛濤一派垂天門飛瀑千尋石罅吐迅疾直過離弦弩輾轉橫翻道士羊震搖欲撼將軍虎水石

噴薄勢洄漩怒浪排空驚掣電乃知造物心力奇窮幽鑿險開生面香山勝境曠而清九盤雙乳俱崢嶸不是躡屐探絕壑誰知咫尺分險平客子興狂忽大嘯踞石把盞領其妙歸來趺坐退翁亭卧佛一夢可惺惺

冬夜登明遠樓次吳昌言宮詹韻

棨戟重重鎖院深高樓滴漏夜沉沉春蠶食葉成文錦秋隼乘風度上林千幅紅綾裁玉尺一輪皓月映冰心獨慙廿載空鏖戰壁上今瞻北斗臨

前題次伊闇學韻

霜氣淩寒夜憑臨百尺樓燈光揺萬户文燄照雙眸伏櫪憐今日揚鑣羡舊遊幾年辛苦地回首思悠悠

題祁門張侍御 瑗 刻平魏忠賢碑墓疏

有明四大閹王汪洎劉魏罪孽上通天忠賢惡尤最焚炙遍東林短盡賢豪氣王綱任顛覆國祚日以墜比至懷宗朝海宇紛鼎沸磔屍灰其骨厥辜未足蔽咄咄西山岡逆塚垂多歲隴上卧麒麟案

前騰翡翠古柏勢參天豐碑屹相對見者痛切齒兇黨何狂悖伊誰留逆踪山靈蒙污穢卓哉侍御公乗驄百僚畏秉憲巡邦畿鋤奸及鬼魅鐵筆凛風霜白簡彈醜類字字殛姦魂言言振聾聵一讀髮衝冠再讀零涕淚諫章達 楓宸 聖主為感喟 天威霹靂馳墓掘碑立碎盛事傳四隅歡呼徧閭閻妖氛一蕩滌白日開冥晦昔我米脂公伐墳勦凶祟虎口留餘生忠義震寰内余曾叔祖大綏事有傳今覽茲奏疏兩公堪並轡作詩緬前徽迎風

酒一酹

題隱士小照

林巒互蔽虧雲水光相絢幽人坐其間天風泠然善鬪鑪煎蠏珠童竪揮蕉扇碧乳注哥磁一呷仙靈現嗒然萬慮空天倪渾一片相對欲相呼忽忽失素練

次梅少京兆送别原韻

十年宦海任扁舟此日停帆罷遠遊開講曾登安定席長吟幾上仲宣樓春歸柳色增離緒人去鶯歌伴旅愁别後無煩長者念有生端不負清流

十弟築室落成詩以志感

吾家舊宅鄰西城㓜時嬉遊六七齡潭潭甲第美侖奐只今追憶徒寘寘四十年來移寓此門對珍謨院故址數閒土屋苦偪側況復弟兄增食指余也十載歷薄宦歲積俸錢十數貫一枝覓得寄鷦鷯吾弟棲遲仍故閈邇來築室宅西偏東市購甓西市椽寸寸株株拮据就茆茨下覆千書編嗟哉兄弟飢驅走終年舌耕以餬口歲云暮矣纔歸來

一月爲期相聚首吾母行年七十六每懷予季飯
不足安得負郭半頃田戲綵朝朝居此屋

贈故人子

大雅音誰嗣君詩遠俗情少年能好古深造可觀
成白髮慚前輩青雲畏後生吾家有凡鳥附翼好
飛鳴

我與而翁友觀摩歲月長相期崇道術不獨在詞
章佻達羣情薄溫醇汝輩良盟心敦古處世締永
無忘

晚憩西山龍王堂

傍晚來山麓探幽興不闌亂雲歸洞黑深樹浸池
寒鐘歇禪心定庭空竹色團無言誰我答須向箇
中看

玉泉山

玉山兀起衆山東望裏蒼蒼致不同翠色淡籠宮
闕外涼颸微颸水雲中錦川分派通名苑螭吻噴
泉落碧空幾陣新荷香沁骨翛然遺世御天風

過前明景皇帝陵

京西廿里餘泡子泉北瀉行行到山隈岑寂無車馬頹然見古封慘氣凝荒野延蔓滿荆棘高低堆礫尾三松枯且死一亭欹欲下狐狸穿深穴鼷鼯吟冷社何來樵牧廝坐卧跣其踝旁居兩三家黄毦零砌舍邊子心惻然弔古思奠斝披蘚認殘碑乃明景陵也貴賤復何論感嘆泪盈把悠悠三百年誰是奪門者

碧雲寺望香山

拾級入峯巔鐘聲出碧烟陰森看作雨斷續聽鳴

蟬虬幹迷幽壑龍㗋吼瀑泉香山遥在望惆悵丙辰年是年與通乾涵百同遊極歡

戴海吾知已同游披素襟十年驚聚散二子各升沉金碧神光迴樓臺

天闕深徘徊不可即人地兩關心

望洪光寺

香山西上勢巑岏畫棟朱甍帶曲欄人愛莊嚴新寶塔我思清淨舊蒲團泉流隱約聞雙乳磴道依稀見九盤安得尋盟來素侶夢遊亭畔再追歡

望說法亭

酌酒彈棋憶昔遊丹楓飄葉衆山秋亭南峭壁懸千仭記我題詩在上頭

望曝衣臺

遠望曝衣臺空濛滴烟霧昔年紅葉深我友從茲去

望朝陽頂

朝陽頂鬱岧嶤中有老媼辭塵囂雞皮鶴髮骨格古茅屋一間棲山坳夜深誦經降鬼怪虎豹馴伏

喑咆哮有客相訪躋崇阿鳥道撥雲穿薜蘿到來羅拜松堦下合掌瞑目諷維摩瞥然出語發深省至今提起毛骨冷

退翁亭

勝友當年此一娛山人好客酒頻沽只今疎柳斜陽外曲水泠泠遶舊墟

卧佛寺

杖策投東北逶迤退谷前喧籬村吠犬咽石壑奔泉鳥嘷飛仍落雲流往復還重來金世界佛卧幾

多年

歸去常相憶十年此再經我生徒碌碌佛睡自惺惺鳥哢溪邊韻林鋪户外青冥思殊有得智慧滿山坰

妙法現蓮華無言意自睽定中梅熟子夢去雨飛花心境清逾寂真詮渾不諱堪憐沉六毒猥自証三車

半生勞夢寐此日躡雲根一榻懸今古千山壇曉昏鳥飛淩碧漢樵去入煙村惟有西來樹常棲淨

土

魂寺有桫羅樹二株高數丈傳云西域種

後枕烟霞窟旁鄰紫竹亭水環一徑綠山列數峯青業淨無空色光圓澈杳冥天風下老樹謖謖響疎櫺

卧佛渾無覺吾遊倦欲歸餘暉留樹杪瞑色入巖扉朝暮時非久升沉象屢違今宵明月下寂歷漸忘機

出山

出山頻顧山山亦神交熟今夜山間雲相隨牕外

宿

抵家示舍弟

昔日香山行吾弟與同往冉冉届十霜勝事空渺茫每憶續前期塵務紛勞攘三復舊遊篇一讀一悒怏今我入京華傴仄神不爽閒步問莓苔心跡一何朗獨少惠連俱按舊勤諮訪歸來閱新詩相對應鼓掌何當沾微祿歸山買薄壤吾弟有同心長此縈懷想

題戴通乾寅丈集後因謝赭園之約兼賀令

姪脩五成進士

詩格臻奇老遭逢稔苦辛途窮胡有底天意不無因李杜垂今古元明之等倫斯文應未喪肩荷更何人

正苦紅塵穢尋芳約共車庭筠涵道性溪水淡浮華榮悴何須問乘除自有涯飛騰看小阮咄咄亢君家

冬夜上谷旅邸中炭毒瀕死而甦感懷五首

死去夫誰覺甦來倍自憐微軀關大造一髮隔重

泉本業慚頹廢浮名苦繫牽傷心潛飲泣老母已
衰年

遊子銜寒出慈幃念遠行傾箱耀麥穀貯槖佐瓶
罌風雪連昏曉噓呵判死生此時魂夢裏屈指計
歸程

棣萼連枝五于今復幾人飄零三世業辛苦百年
身騰達期吾弟章縫愧老親悄然思舊德永夜淚
沾巾

長貧勞內子相我廿年餘黽勉勤機杼艱難畫米

蔬連朝驚噪鵲鎮日盼雙魚忍說藁砧病平安且
報書

有子年方冠飛騰望正賒詩書求世德似續大吾
家一瞋長貴恨更生謾自嗟言歸當歲暮椒酒慶
無涯

涿庠會課示諸生

積雨朝來晴拂拂涼飇扇清輝靄庭宇山光淨如
練魚雅來諸生盍簪試楮硯兀坐攄幽思冥搜根
窟倫得意奮筆書呻吟聲出院稿脫還推敲懼人

或我先曷哉二三子槐黄飛片片方言慎勿忽闡試倏轉盼得失未可期妍媸應自電一編勤揣摩厥功夫誰倩老倉年半百此與殊不倦秋高對壘時辟上觀雄戰

過劉氏山莊時當盛夏

緩轡來東郭行行訪竹關到門惟緑樹高枕亦青山跡出塵寰外神遊太古間連朝苦炎熱此地一開顔

面面軒楹敞喧囂迴不聞天風凉度雨嶺樹黑連

雲設席依深柳緑畦剪緑芹主人情爛縵酬酢一何般

納凉方過午行酒僕頻更飯白炊雲子瓜寒切水晶花芬潛入席嵐氣渾連城世外眺幽賞油然慰我情

坐久不思返霏微雨漫催野禽隨下上溪水亦瀠洄每厭囂塵市何緣踏碧苔從今清興發杖履且頻來

和朱中岩秋花四詠

色映明霞一樹金丰標挺立望森森蹉跎那惜桑榆景薄暮猶傾捧日心 葵

不共凡花娬媚同昂然高竦勢隆隆健鶤風起羣相鬬韓孟拈毫狀未工 雞冠

鴻溝霸業已成灰騅馬埋塵亦可哀惟有香魂銷不得結成奇卉舞瑶臺 虞美人

圖狀稽含涉子虛無煩艶説菉天居只今幾葉甘蕉雨餉客新抽萬卷書 蕉

邵村漫興和朱中岩韻

幽探何地好康節舊名窩 邵村即康節之安樂窩 自古傳遺跡于今嘆逝波平湖穿徑曲遠岫受雲多别有移情處游洄溯巨河 巨馬河 幾度勞魂夢今晨得一過披襟來素侶沁骨襲香荷燕弄青波剪鶯穿緑柳梭興狂無檢束遮莫醉顔酡

悼臨桂張聖林

張聖林名楷廣西臨桂人父愓庵山東日照令生楷照署越八年以内艱歸有女許

字邑紳齊粵相隔萬里勢難偕往遂留楷伴之後惕庵以貧病羈身弗克北上楷亦生體羸弱不能西旋而寢食起居未嘗一刻忘粵比冠贅婚丁氏生子命名粵來以示已志未幾妻子繼亡父訃亦至楷晝夜泣血卒致哀毀成疾賚志以歿時年三十有二又十年厥弟椿赴監肄業趨楷墓哭奠畢搜其遺詩得十八首爲傳以徵詩嗚呼骨肉離析世所常有若聖林者亦大可哀矣

千古銷魂事生離與死別獨憐張聖林慘境闢奇轍生死淹青齊骨肉隔西粵友人投傳文一讀一悽切照宰惕庵公臨桂舊名閱毓楷纔數春罹憂大刀折弱女字東土萬里難提挈稚子甫八齡勉留伴晨夕煢煢女共男牽衣哭岐陌去住兩斷腸旁觀俱慘烈吞聲慰嬌兒三載來團結地角與天涯誰識成永訣坎壈復坎壈冉冉幾歲月孤客意煩冤窮愁日羈紲壯歲贅丁家雀中金屏設子生

名粤來來粤思不歇嗟彼蒼者天羗痛而不徳反復肆疾威相摧如不克鴛幃琴韻哀玉砌蘭芽蹙哀戚正不勝親訃且舸廹滴滴血泪枯寸寸柔腸裂灘水相思江奄奄神欲絶嫩草飽嚴霜熱湯澆冷雪人非金石身焉能不殞滅君命竒而乖君品芳而潔遺詩十八章逸調傳清節思親兼憶弟幽懷發疏越堪嘆生不辰死去還爲客衣蘭帶芰荷乘雲駕紫蜺幽魂蕩漾飛徙倚將奚適桂嶺望漫漫長夜風淅淅客鬼仍思鄉可向伊誰説死後又十年有弟來鄉國繞墓長呼號涕泗都成血爲文告阿兄語語刺胷臆地上慟如此地下慟何劇析離四十秋幽明對嗚咽返櫬幸有期泉臺應怡悦

上方山遊草

孤山口

距上方十里餘峛崺長陂環溪如帶宛有塵外數致

一曲清溪亂石横到來村塢舊知名詩隨流水高山咏人向斜陽古渡行柳下青帘招市飲岡頭黄

犢罷秋耕塵襟際此應消釋翹首天台十里程

接待菴至雲梯

菴踞山口以接待得名上方咽喉也兩峯夾峙中開鳥道如線盤旋而入三里許突有峭壁橫截緣石磴躋之高數百丈所謂雲梯也鐵絙下垂行人挽之而登及巔有小庵可憩僧爲煮茗甚佳

山行取路自禪菴陰壑盤紆恣意探兩岸高峯隨徑轉濛濛衣履濕烟嵐

徑入崎嶇興自濃懸崖橫路草蒙茸老僧扶杖雲端下一綫危梯數百重

百丈危梯冲碧霄捫蘿直上路迢迢山翁小憩閒扳話鐵鎖孤松自大遼傍梯小松一株貫于鎖孔云是遼代故蹟

峯頭屹立小浮圖挽索登來筋力痛喫得趙州茶一碗直從頂上灌醍醐

紅門

過梯不一里有紅門乃諸寺之總門也至此兩辟相距漸濶而梵刹歷歷見矣

窈窕雲峯轉山門竦立高倚天垂石骨拔地起松濤客路臨仙域閒心遠市囂小童殊解事隨意酌香醪

抵兜率寺

寺居中南向四山拱衛如負扆然旁列東西二澗林木蓊翳菴院七十餘所掩映其間歷落低昂一望如披畫圖

門入無三里層層陟上方萬山羣拱護一寺踞中央鳳翥瞻 宸藻龍涎吐妙香憑欄閒眺望翠靄

鬱蒼蒼

掩映林泉裏名菴布若棋高低皆有致疎密各相宜秋嶺青蒼遠天工點綴奇嗒然聊兀坐梵唄發幽思

清磬聲聲徹悠然夜未分山高遲見月竹密靜留雲色相巖閒石空明水面紋立身塵坌外思共鶴猿羣

羣動看俱息幽人未掩扉佛燈猶閃閃塔影自依依涼月雙幡裊遙天一鶴飛箇中殊靜幻大義解

人希

一斗泉

兜率東折連嵓層陰一路蒼松古柏奇花怪石無算至山腰有小洞洞藏一泉大如斗因名焉洞外一臺約畝許懸崖覆之如蜂房燕壘狀

兜率東北行詰曲入谷口怪石紛谽谺虬枝鬱蚴蟉數折見平臺廣袤剛一畝懸崖綴蜂房如翼覆其首臺下洞深冥渟泓水盈缶不竭亦不溢瞿曇

恣所取人言有神龍據此爲之藪祖師初開山喑啞叱之走龍廼吸泉行涓滴無剩有師飛錫擊之留得茲一斗斯語或荒唐其以爲然否須臾松風生微雨繼其後蕭蕭臨寒潭踞石酌斗酒

摘星陀

兜率西折山嶺高峻鳥道攀緣而躋更起一峯高數百仞孤圓突兀如筆豎立勢可

摘星

上方西向勢如何鳥道縈回陟峻阿更有筆鋒高

矗矗別無仙掌對峩峩梯絙牢挂相牽引頂踵緣行互盪摩儘力追攀幾萬仞昂頭天外一狂歌翛然羽化御仙風杖履逍遥碧漢中引手似將摩象魏高呼直欲達蒼穹漁陽北擁河山邈上谷宣府蔚州等地西環關塞雄半世蝸居嗟偪側霎時海濶更天空

雲水洞

踰摘星陀折而西北至山足有洞焉深入約四五里燃火照之竒景林立時以陰濕

未入老僧爲道其梗概云

夙聞雲水洞寶物中藏閟我行暢冥搜層巒駭嶃嵲上天還入淵戾止脛骨趹洞口初一探寒飈何栗烈凜乎栗起肌撟然上卷舌陰氣窅深潛時維建申月入洞必燃炬炬入洞輙滅對此正踟躕歸與意未决老衲振錫來坐石爲予說洞排一二三數至十三闋其中最險區三與九相埒三洞窄而曲曲徑周復折束身傴且僂蛇行十八疊九洞如眢井無水而寒洌鱗次貫珠下前背後人躡除此

二洞者餘俱高而闢造物鍾靈奇晶光紛連綴析數不能詳摘要臚數節青蓮何婉變龍虎何雄傑佛祖與純陽神貌真奇絕鐘鼓和有音寶塔矗截截三洞演迤前此景可歷閱須彌山勢長雪山堆如雪青溪跨仙橋羅漢排十八更有兩幢幡縹緲如懸帛非踰九洞危此景終恍惚過茲聞水聲傳是蛟龍穴僧話未及終我神已飛越謝曰師無言奇觀在目睫濡毫備誌之再來識舊轍

聽梵橋

橋跨澗流諸菴羅列其上林木蔽之旦晚梵磬四響聽之如在雲端

行到聽梵橋忽聽梵音響四顧杳無踪却在白雲上

山寺夜雨懷香山舊友

京西名勝以香山爲最丙辰重九後偕舍弟隨園與戴教授通乾海主事涵百顏舉人惟聰雙學士有亭看紅葉聽松泉彈棋賦詩流連數夕爲此生不再逢之嘉會今

宿上方僧舍秋雨垂垂永夜不寐追憶舊遊忽忽十有三年矣聚散闊情悵然有作

精舍諸天近松關鎖白雲何來終夜雨滴瀝枕邊聞蛩語⿸厂丞難辨鐘聲濕不分客心當此際耿耿念離羣

夜雨增愁緒朋簪悵逝波雲泥分路迴雙登九列生死繫情多海已物故勝地今重得良朋不一過招尋能到此相賞更如何

蚤起看雲

夜雨聲初收昧爽雲峯現靉靆未分明移時色相絢如墨間如硃如灰復如澱縷縷烟出突朶朶花飛片鬱蒸絶壑雷汗漫八極旋乾坤一混茫巒谷渾不見一瞬露朝暾天光淨如練

龍虎峪

峪踞兜率後稍左山益高澗益深峭壁下冒一菴署曰廣慈菴後修竹數百竿穿竹而上得九還洞

不知龍虎峪一徑足幽偏壓寺山疑墮摩雲塔自

懸輕風開宿霧疾鳥破朝烟更思穿崖竹高尋洞
九還

雨後山行

烟鬟最愛上方清雨後幽尋更有情花繡青山堪
入譜鳥吟綠樹不知名鬱葱岫色添新翠澎湃溪
流續舊聲偶過遠公聞說法等閒觀世得無生

弔般若菴禪師

師浙東人幼齡鬀度至是已踰七旬忽於
丁卯中秋之前一日集諸寺僧語曰我明

日還家當與諸公訣衆僧領之而未信也
詰朝徒衆起見禪關已闢入方丈省之衣
鉢宛在而師竟遍覓無踪踰歲季春一樵
子於山後絕壁間見師圓寂石窟凝然端
坐神貌如生葢已七越月矣乃告寺僧收
而瘞之事亦異哉

底事棺爲玉底事棺爲尾絕壁一石龕端坐真瀟
灑滿樹菩提智慧花無煩半偈啓袈裟一輪皓月
寒山照我師即此永還家

出上方山别普照上人

幾日留方丈喧阗寂不聞塵緣猶帶蔕仙侶竟離羣偃蹇人將老青蒼秋未分重來那可定魂夢繞山雲

到此期長住言歸輙愀然拈花應有分舂米詎無緣何日捐塵累從君卜澗泉茆菴聊小築方外共忘年

出孤山口

路下孤山口山光望漸微白雲知戀客猶傍馬頭飛

自上方回涿寄家兄約齋舍弟隨園

仕涿逾二載課士多餘工悠悠我所思乃在山之中見説上方好去去每無從今秋一登眺佳境難繪形香山之明秀退谷之幽㬋西峪之宏麗石經之蒼雄皆兄弟同遊處于斯皆具之而致迴不同巒壑隨俯仰晨夕雜陰晴氣象孕萬千幻化妙無窮昔我先君子僑寓在房城茲地未獲遊感嘆空復情言念兄若弟分飛類轉蓬生徒聚唔咿偪仄困其曾

寄覽上方篇奇興應縱橫何時翩然來相携采杜蘅

鄭巨卿叅戎席上同江南諸君看小優次邢胡二生韻

垂垂梅雨報初晴杏實榴花照眼明帥府開筵羅碩彥由來學士快登瀛

子才才調簇生新邢安定傳經席上珍胡二妙當筵成絕唱可堪白雪和巴人

歌兒環珮舞玲瓏宛轉情多一盼中座客顏開催

賜扇直從五月買松風

訪房山廣文賈簡庵兼呈李寅丈

路接房山近來尋賈閬仙星輝嵐半歛庭迴燭高懸恰值生申候纔賡介壽篇時賈初度三松多歷歲一鶴不知年酒飫留臺黍茶斟掬月泉愜心饒素友隔壁喚青蓮

遵化除夕

每歲當除樂事頻今宵除歲倍傷神四圍峪嶺風如削六秩鬚眉雪欲匀官冷何辭庵作署時寓準提菴

情閒合與衲爲鄰遥知兄弟屠蘇歛漫聽銅壺憶遠人

五十餘年兩鬢華誰憐飄落向天涯堂前萱草芳先隕塞上飛鴻影亦斜薄宦相隨惟驥子蕭齋守歲有椒花英賢射策期將近好御長風九萬賒

冬月對殘菊

荒署鎖寒煙匡居意泊然黄花如素友相伴度殘年顧影予同瘦經霜爾尚妍後凋還見此珍重小牕前

寄題臨榆鍾明府釀春園十六韻

春色到榆關鶯花别處殘循良來卓魯塞徼轉温寒煦育恩何極調和力實殫千村周布煖四序永稱歡春曰歡時澹沱狼山麓冲融鴨水干冬回生意坼春釀惠施寬闌處先經野陶情乃在官荒園謀啓闢小築作遊觀松石供奇賞池亭取苟完琴清風送韻樹老鶴高蟠公退時聯句朋來共倚欄邊籌樓名堪貯李香晚堂名可娛韓豈博林臯趣爲欣民物安洪鈞常在握飛躍自無端嗟我遲遷木輸君早

漸磐何當臨勝圃暄頁與去盤桓

狐兒崖

見説狐崖勝來遊境欲仙千山如帶合一水宛繩
牽鳥語通虛牖鐘聲出曙烟塵緣此俱寂不待坐
參禪

翠華寺

屐齒緣危磴層層躡薜蘿澄潭涵月白寒岫蓄雲
多梵唄喧蕭寺松風漾碧波幾時從惠遠卜築向
山阿

寄半壁山巡司黃泰初

曾聞蘿峪外風物遠嚣繁虎卧空山道猿啼古樹
村庭閒常設網衙散早關門我欲尋仙吏高齋對
舉尊

秋日同王觀齋珠丕烈兩遊戎遊五峯

連騎來城北名峯見快遊嶙峋山骨瘦憭慄塞容
秋竹埭行厨盛霜林絢葉稠我心殊曠逸鶴唳一
聲幽

日暮歸自五峯

啼鳥催歸巒相看各醉顏斷霞全映水落日半銜
山俗慮今宵盡浮生何日閒諸天一迴首縹緲暮
雲間

重九前六日余與觀齋丕烈遊五峯劉暢亭
刺史以公出未與也越十日刺史歸興發
獨往以詩見示次原韻

同人雅興寄煙巒先後探幽昌瑞山（五峯原名）九月分
遊紅葉下百年幾度白雲間沿蹊印屐踪相續插
菊盈頭鬢各斑好待明秋來讌集羅文（峪名）更聽水
潺潺

丁丑九月十七日早辰接家書知隨園弟新
舉一孫余亦舉次孫用爲吾兄約齋後百
年缺事既畢一朝喜極而賦

鵲噪庭簷日甫曛家書接到喜盈門黃泉二老應
含笑有子三人各抱孫

吾兄晚景久淒其阿弟瀍羸更甚台半世憂懷皆
頓釋百年從此樂含飴

門祚今年慶未央大兒官拜尚書郎算來只是天

倫樂世外榮華那足當
遺子籯金愧不如諸孫保抱獨躊躇須知乃祖清
貧甚他日平分錢部書

冬嶺秀孤松 得松字

犖卉夫何有森然一老松風霜經百折骨格厲三
冬翠蔭濃於柏寒枝矯若龍雪晴凝望眼孤立最
高峯

供事薊州道上雜詠

贔屭狂飈白日遮朝朝暮暮坐塵沙偶然一陣風

霾歇瞥見山腰放杏花
綠柳絲絲弄曉煙千家鶴豆隴邱間堪憐垂老躭
微祿祭掃相違又五年
豈是春遊踏碧苔祇緣公務到山隈纓垂馬項排
雙斗嚇得村童簇擁來

塵途鹿鹿敢言罷忘却花朝廿四期虧得開函神
致遠攜來一卷右丞詩

朝來山色望霏微風息雲興布四圍自是明禋通
帝載雨師先導 六龍飛 時 聖駕謁 東陵

山行

萬壑千峯一脈連爲乘芳草下吟鞭山圍稠疊疑無路徑轉迂迴别有天那覓禪宗然柏子但逢野老說桑田　聖朝雅重生民數村落人家版籍懸時編保甲家懸户口牌

峽口口在遷安縣西北二十餘里

驅車十里過長峯口西接長嶺峯峽口行來翠黛濃石狀猙獰蹲虎豹松根蜿蜒走蛇龍山當缺處窺灤漲苔遇斑時識鹿踪不是鐘聲遥入耳精藍幾被白雲封

夜雨不寐懷暢亭觀齋

連纖入耳夢難成似草憂思逐雨生霜降還無新暖閣夜闌仍對舊寒檠蛩吟繞砌衷如訴雁陣穿雲宇未明最是劉王兩詩伯年來契濶不勝情

盛暑偶成

憚著人方劇予情却不妨身閒能遠俗地僻自生涼蕉雨敲詩急槐風引夢長晚來花下坐月色正蒼蒼

冰暑

冰暑何勞計米鹽冷官更不耐曦炎因風度雨聲喧樹隔緑揺紅影入簾（豆棚外鳳仙數本隔簾視之掩映有致）那向豪門浮玉斝惟憑素几啓牙籤空庭無數鳴禽聒一枕莊周夢自恬

步和范怡雲刺史重遊五峯原韻

一年未到五峯遊此日重來巳暮秋滿目揺紅山似錦臨風落帽雪盈頭當前巒壑堪觴詠晚節功名豈繆悠既醉猶勤纍絲計升高指畫荷文侯（時公

興鰲鸛之刹）

怡雲刺史讌集來泉堂復邀古刹看桃花分來字

正欲尋春踏碧苔使君折柬讌城隈松林遍植千株密池水新疏一鑑開伯牧原推臺省望（公曾任科道）鐘彝兼具壑邱才賓筵既醉還相勸試向桃源訪勝來

覔得白丁香一瓶邀王文礎別駕同賞次文礎韻

嘗見西鄰草榭旁幾叢素蕊艷非常花移几上供清賞客到齋頭識暗香碎玉寄攢姿本瘦斷金聯咏韻同芳多年桃李園林隔此夕渾忘滯異鄉

次韻和怡雲刺史遵化織繭歌

聖代勤民德教垂東南蠶桑物土宜窮谷煖律被噓吹天荒頓破躋恬熙遵化秔葵半新菑土人藉以謀徵貲從無抱布之氓蚩責以織繭非攸司岱枲萊檿產地維居民誰敢舍業嬉奈何有寶輕擲之女紅不修男益飢天教國醫施良劑（音齊）大范東郊出保釐有衣弗曳憐嬰彌忍令嘉植任離披霧靈（山名）卉木岡巒麗不獨芳菲沁肝脾維椽維柞俱菀茲美利由來天所遺乃向保陽投牒詞興利先報大官知出關行部駐旌麾巘原陟降相所治經營慘淡自得師胥有成竹廼壁荄結茅鳩民趂蠶時育蛾孕卵若螘蚔點點蠕動繁衍滋昇來浴種河之湄仰視林樾抽新枝蠶飼其上如瓊飴凸凹低昂狀嵾嵯蟹筐男婦紛祁祁畢入林麓崇躋屭多寡相賽如賭棋山場況復公主持我民墾闢疇

後期廣袤聯絡珠纍纍遴員弼贊精所寫繭質光瑩邁等夷初則拈線繼繅絲灰練水練色迷離作絃尤可叶英池籌畫均平桑在鳴價值工料稱平施從來賈人爭居奇遼東西繭俱龕絁偶逢沂水咸曰嘻程鄉創獲尤驚稀誰知至寶出灤涯恰來大匠闌奇思懆遭樵斧久爛縻一朝拔地呈奇姿嘉應（程鄉更名）對之尚覺疵餘者項背胡能窺使君樂利誰與比君曰憲畧謹追隨憲云移小臣承流慙鈍椎　天子端拱撫黔黎仰惟　聖治與化祖德動其咨　四陵龍脈布和曦願誦濬哲生民詩

禪林寺感懷

空山古佛繞枯藤寂寞誰傳大智燈此地鳴雞還有石（志云五峯有石扣之似作雞聲）當年馴虎更無僧（又云有神僧誦經于此虎伏而聽乃建寺）蕭蕭落葉飄林樾漠漠寒雲覆塞冰試拂殘碑看舊跡從來勝地幾沉升（碑記寺敗于金盛于元至有明前廢後興）

雨後招程維崧董百朋兩秀才遊龍山

烟鬟遥望巽方清雨後相招出郡城麥浪翩翻含宿潤禽音下上趂初晴山籠旖旎雲中寺澗弄潺湲竹外聲更喜游歌來二妙升高一笑酒頻傾

秋暮感懐

凄清景色遍西郊過眼芳菲只夢泡菊耐霜威遲綻蕊燕知社近早辭巢天行翕闢驚輪轉人事推移敢杜膠老矣思休賦歸去聊將一芥泛堂坳

乞休後咏懐兼留别諸同人並寄故園兄弟

一片寒氊閱此生藕湖枉自步先程窮經治事規

何就廊廟山林局未成水號還鄉如有意（還鄉河在遵化）南人當久客豈無情乞休牒上行歸去兀坐蕭齋百感縈

邢幽涿薊幾遨遊（余歷任任邱順天涿州遵化四學遵原屬薊）半世浮沉任海鷗（自戊申至壬午）豈爲蓴鱸纔解組只緣霜雪已盈頭雲山無恙人將去桃李含情水自流故里荒園剛一畝作亭懸擬號休休

潦倒山城寄此身箇中況味向誰論物情巇嶮終成幻心地寬平袛抱真塵氣不來侵絳帳松風徐

下吹烏巾歸與好結烟霞侶鏡水橋邊理釣綸
外城迤北枕邊關萬壑千巖四拱環聖水温湯堪
祓濯龍岡鷲嶺足躋攀幽踪迥出煩囂外逸興常
依鶴鹿間故國平原殊寂寞夢魂從此繞煙巒
日繞雲移仰 至尊憶曾兩度到金門雍正戊申以保舉乾隆丙子以俸滿俱蒙引見空將廪禄供臣飽那有涓埃答
主恩烏趂餘暉趨緑樹馬支病骨怯黄昏鱣堂遥
叩辭 天闕常醉田家老瓦盆
六番孤竹考堂前十學停車日往還導化就考永平兩屬十學

余歷歲科六次射虎崖邊石皓皓李廣蹟采薇祠下水潺潺夷齊廟瀕灤河登臨肯後寅恭友觴詠兼攜弟子員人地
關心今不見離愁千里一絲牽
諸生莫怨唱驪歌黑髮辭家邇盡皤十載詩文嘗
對賞三冬冰雪亦相過也知離別銷魂甚尚欲淹
留奈老何此後惟期同努力休教歲月易蹉跎
梓里交朋憶舊壇鶺鴒況復影飛殘同胞有五現存三人弟
兄俱老誰差健鴻鯉常稀晤更難匹馬西風當日
景單車北鴈此時看戊申秋暮赴任縣有西風吹匹馬南鴈引單車之句今以

寄聲歲杪爲春酒棣蕚枝頭月再圓癸未仲春自遵南旋故云

交代日作

代者如期至幡然喜氣生老來諸事懶官去一身輕應世無拘東匡居任樸誠試看投樹鳥薄暮正飛鳴

入宦周旋久天懷恐喪初可還真面目得返舊蓬廬驛柳春將淺庭花凍欲舒青氊吾故業好課幼孫書

晤劉東玉琪同年小酌話舊時余將去遵化

陶令何時返故田相逢攜手意淒然梟飛秦隴三千里劉前令陝西星散京華廿六年乾隆戊午在京作別拙宦應遭臺長罵謂劉迂儒不受俗人憐自謂銜杯各訴平生事珍重今宵是別筵

歸里後咏懷五首

夙昔厭煩囂性本躭巖谷司鐸吏隱兼究未愜幽獨卷舒難自如形神日以夔崦嵫暮景迫言旋復邦族蕭然一畝宮重葺舊茆屋入座無雜賓盈案無塵牘茗椀共琴床悠然遂初服好風自南來微

雨灑庭竹虛牕明月升攤書時一讀優哉復游哉
只此便爲福
吾家連理枝恰符燕桂數伯仲早云殂三人相依
附飄梗過半生頻年不一遇垂老更相憐鬱陶憑
誰訴遊子從外來驚愕頻諦顧喜極翻成悲相看
俱遲暮有酒即我酹無酒即我酤鶴髮老弟兄悦
愛勝童孺目前致足樂莫任韶光赴珍重此殘年
連床話情愫
離家三紀餘人事幾變更暫旋雖已數却如作客

情今晨始大歸與言尋舊盟歷訪半爲鬼過從多
妙英相見意頗洽而不識姓名自稱厥祖父聞之
喜懼并昔昔與乃祖遊汝尚未受生荏苒幾歲月頭
角倏崢嶸昔共若翁處汝時方在繃誰知彈指間
今已髭鬚盈後進今若此何堪問老傖曠懷彼逝
者如川循科行後波催前浪渤澥爲歸程念此慨
以慷因之悲且鳴嗒然隱几坐漠漠暮雲平
一生任朴直坦步無棘榛及老愈益拙嶮巇歷艱
辛崇山與巨壑怪變難具陳豺狼欲搏噬狐兎相

伺巡危樹盤長蛇張吻勢嚇人問君何術操而以保其身存誠險可夷息機虎亦馴不震復不竦毒燄將自湮海氛幻相釋白石自粼粼從茲可不辱返璞歸其真

倦鳥歸舊林飛翔適性天零星幾老友策杖相往還言笑無厭時文酒追古歡有時乘興出隨意探林泉或阿陵城下或吾邱臺邊徙倚以徜徉心遠況地偏偶然逢野叟席地話園田神貌兩俱古真趣誰與傳自反出與處幸無罹尤愆泊然何所營

長此樂餘年

七月望省墓

幾載不省墓此日謁西阡展拜自鼻祖以次及先嚴躬率子姓輩焚楮肆几筵世以漸而近含情忽黯然緬懷先君子没齒手一編種德未食報潛光五十年孫掄仕樞部貤贈如其官小子何能也貽謀溯青氊蔬果雜具陳壺觴謹滌濺墓門一灌酒和淚滴重泉

祭掃各已畢羣入集享堂長者面南向卑幼紛成

行拜稽遞爲禮列坐羅其旁中年以下者熟視不能詳招曰來爾爾世系住何鄉自述祖若曾名甫渾未忘聞之長太息遺老俱云亡轉瞬四三代想像竟茫茫念我垂髫日隨侍來隴岡諸祖諸父側辟呵挹酒漿朱顏曾幾日髮白而眉龎往來相代謝此景足可傷一生志莫遂相對空徬徨

我志緊維何敬宗且收族厥事有造端家廟與家塾廟塾又何資義田多殖穀藉以脩宗祊烝嘗集飲福再以其所獲延師供脩束子弟無賢愚翩翩來就讀妣祖妥以侑宗支洽且熟卓哉范希文高義誰能續此志久鬱陶睠焉常蒿目

秋夕

燕坐空齋裏塵氛總不知詩隨年共老懶與拙相宜日暝涼飈吹天高皓露滋五峯黃葉好昧昧我思之

榮悴相推嬗乘除數自齊冥心觀物理隨意養天倪月冷蛩音咽雲流鴈影迷眼看黃菊放尊酒正堪攜

除夕同八兄十弟守歲

又是逢除日忻悽兩念并幾年凝望眼此夕慰離情門第恢前烈摧殘憫後生前數年殤一子一姪白頭老兄弟話舊酒頻傾

鴈陣分行久繁霜兩鬢侵椒盤三老集尊酒百年心歲序推移速暄涼閱歷深天和好頤養不必問升沉

春暮招謝敏臣徐錦章王廷選同家兄弟花下讌集皆五十年前同學老友也契濶畢

生一朝歡聚感而有賦

康熙庚寅越辰已先子帳設恒吉閈招提古刹致幽偏生徒廣座童偕冠謝生渾沌未雕鏤徐君石璞含璀璨吾家昆仲鈍而飭王子才如馬蹄絆爾時英妙俱婉孌如歲方春日始旦誰知轉眼五十秋晨星落落飄蓬亂屈指同遊數十人某某埋塵某遠竄今遺五六俱成翁白首相逢可勝嘆或則持籌老市廛謝或則席帽淹書案徐或則通籍貳花封被放還巢戢羽翰王老傖廿載歷寒氊邗幽

涿薊恣汗漫衰白歸來尋舊盟半世鬱陶今夕散簾外幾番花信風棠檎桃李競燦爛把酒高歌話昔遊三巡以後爵無算嗚乎老去看花復幾迴主賓上下七旬畔便令餘生竟百年三分有二而豈但抑又聞之導養家攝生養性惟泮渙長此花間對舉觴天和介壽無涯岸今宵且罄瓶與罍君莫道歲屆窮冬日已旰

喜晤蕭歲青並寄張瑞圖

蕭君歲青余京學同寅張瑞圖壻也翁壻俱瀋陽人乾隆戊午夏應舉來京與余聚首數月相得甚歡至秋杪東歸明年已未瑞圖暨余同以里去與二公不通音問者垂三十年矣越甲申蕭以容城分訓奉公過訪余一見之不覺驚喜交集得晤廼壻愈悄然念我寅恭友也志以詩

把袂凝眸思黯然當時少壯各翩翩（初會時蕭年廿六余年四十二）都門一別三千里鄭郡重逢廿七年磊落襟懷君似昔闌珊意緒我非前欣看秉鐸來溝市（先儒劉靜

脩先生舊里好扇春風嗣大賢曾於郗氏遂班荊爾日東床正館甥每聽新鶯懷舊雨旋從玉潤訊冰清秋風蕭瑟阿陵壘任邱春雨迷離管子城瀋陽倘遇歸鴻渡遼水爲言契濶不勝情

題張方子慎社十一人傳後

康熙二三十年間吾邱舊社十二人縱飲豪吟任坦率先子題之曰還真且爲各撰一小記形神性行與笑嚬一一貌之皆酷肖八十年來人未湮方予張子今時駿選友切劘硎發刃隨園顏社以續真旋更厥名署曰慎真社先民祇率真才高志廣難逐趁後生步之偭矩規踈狂竊恐流西晉張子首肯曰誠然訂交造次防緇磷昔年宴集入豪家有客乞盟我弗狥遲遲遴友得十一慎始庶無開末釁廼彷前修作傳文甲乙丹黃來相問老傖讀之三四迴俛仰昔今情激奮前輩人文跡已陳不料于兹聆嗣韻傳以蘊剛冠其首味淡聲希形樸厚遇衆不聞蚯蚓鳴盡簪忽作蒲牢吼諸李邊戈

暨謝劉位賓方予殿其後行實無濫亦無遺卓犖温文靡不有展卷翩翩羣友來何慚道子寫生手噫嘻愼社諸君才器殊丰標得似還眞無先進曠高後歛戢先後何嫌分道趨隨園乃更進一義會意象形譯愼字右旁从眞左从心眞心貫注愼斯至時移人往道則同曰眞曰愼約無二爲語同人尚愼旃無幸張子圖始慮終立傳相勗之肫摯

九月杪劉龍泉明府惠菊數盆賦謝

正苦陶家三徑荒東籬無菊度重陽忽傳數本來

琴署頓覺餘芬艷草堂秋老倍憐寒影瘦霜凝不減素姿芳知君持贈含情遠共矢黃花晚節香

敦本堂家訓詩

余於乾隆丁巳卜居越甲申額堂曰敦本用垂後也本之爲義無定名取其最切身家者臚爲八則老生長談正不可易爾念之哉

卜宅亦已久憑何顏此堂本根恐先撥敦厚愼無忘祖澤未消歇孫謀應熾昌力培方寸地似續永

相將
五倫胥樂境溯本在天親孝友家中政融和宇内
春移之君及長漸被睦而嫺奕葉相傳久前型尚
未湮
人生有本務耕讀乃權輿百畝生涯足一經樂事
餘固窮寧去食守死莫拋書試看狂且輩何嘗少
智諝
世故增緐縟吾心淡所求思居勤檢束以約寡愆
尤豪麗羣情艷虛憍志士羞菜根常咬得只此是
良謀

雌伏誰甘屈競雄非所期有爭終懊惱克讓最便
宜獨處常舒泰出門盡坦夷虧盈謙以益古訓是
吾師
朋交不可濫比匪更爲傷好餌方甜哄兇機已密
張慆淫寧愛鼎軀命且亡羊臍噬嗟何及兒曹早
自防
家規宜整肅禮教最爲先已亂惟憑此思齊詎不
然尊卑區以別内外靜而專愼勿甘狂放貽譏相

鼠篇
藐躬承賦畀心志與官骸大小原殊體人禽各兆荄精勤善乃積游惰惡斯胎莫以懷安敗而云自降才

題麗雪崖先生種竹圖

居士牧真名此君足酬和渭川不可尋得種如奇貨培之復溉之親督僕童課門無俗物聒嗒然常兀坐天風謖謖吹六根寂不作一片杳空明拂牕影數个

贈邢子佩老友

子佩壯歲好遊垂老而倦闢一圃種菊數百本名曰菊藪聚所好也中結草廬一間額曰素心晨夕又曰偷閒處率希陶意余感其年老而致逸也贈以詩

我愛靖節翁歸來多種菊素心周祖謝陶然遂初服人境車馬喧此心靜如谷神閒形不疲千古跂高躅吾邱城南有邢叟清襟雅抱希五柳情寄羲皇上世間家居輪鞅石門口晚年購得地一隅衺

延方廣不一畝啓之闢之栽蒔之拮据卒瘏口並手繞舍清芬九月花黄白淡濃靡不有東村有客抱琴來西村有客携榼酒一觴一詠暮復朝塵褱勞攘夫何取邪老再拜前具陳向于忙裏敞精神幽并晋豫飢驅走玉也東西南北人邇來倦飛返舊墅聊借一枝棲此身種菊滿園名曰藪老友招尋愜素心没世勞勞閒幾日署之以偷非無因我聞其語曠然思去 君家先賢炳傳記顒邵文章鑾事功曷恕更樹程門幟漢魏以後宋金前勛名竹帛難悉誌君於其間轍另開柴桑栗里足位置摇落塵埃三十年守拙歸園踵相企西風蕭蕭大地秋轉瞬重陽景物幽遥識藪中菊盡好老與狂吟誰與酬扶笻擬就東籬住同君領畧閒中趣

除夕

去年當此際三老尚連床斗極纔回柄鴒原各判行阿兄歸冥籙有弟滯他鄉椒酒雖云具含悽未忍嘗

古稀年已届除歲又兹辰日月還餘幾存亡那復

論門無索逋客庭有獻花孫聊以娛吾老蕭然一
舉樽

製棺告成寫詩自慰還自悼

四板營初就寬長適稱余未陰謀豫矣有待賦歸
與華屋徒僑寓茆簷亦儻居狂吟杜老句高枕乃
吾廬
轉運經川陸來從楚蜀閒固欣材質潤尤愛色紋
斑崒嵂山容峻瀠洄水態閒有生原具癖流水與
高山

葬具時成二荆人稍次之唱隨原有分甲乙固相
宜歷刼從爲土崇朝取貯屍他年攜手去好誦執
簀詩
撫茲差自慰憶舊忽悲酸昔我嚴慈逝迭寫松柏
棺（康熙乙未先嚴卒時貧甚棺以松　乾隆庚午先慈卒時稍裕棺以柏）僅依三與五
苟取合而完貍首看兒奉予情却未安

盤山遊補草

乾隆乙亥秋杪余承薊訓張篤周之約自
遵抵薊入盤山寫五日遊一路珍禽異卉

佳石澄泉未易一二數又或峭壁插天急湍沸地險怪深黑莫可名狀一山之中幻相百出令遊者忽而怡悅忽而震驚紛至沓來爲之應接不暇維時擬紀以詩奈同人輩雅不喜爲韻語無與發其興者遂閣筆焉迄今十有三年每念及之未嘗不嘆爲闕事也丁亥六月曝書偶檢敝篋得拙菴和尚所著盤志一冊把玩數四復掩卷而思覺曩時所歷情狀依依在心目間乃不禁躍然狂喜曰我今又到盤山矣遂摹彷前踪印証薊記爲古近體如干首以補之亦謂一生之攬勝無幾不可湮没也其工拙固弗論爾

千像寺感懷

驅車出薊門思遂田盤想迢遞届東岡招提踞塏塽巑岏亂石橫千佛刊其上昂者竦以臨低者拱而嚮面者如方來背者如長往巨細各現身諸天列方丈松濤和澗泉宛作鐘魚響林葉雜紅黃花

雨紛飄蕩老子漫扶笻四顧頻咨訪鬼斧運神工
意匠或難彷人言有尊者卓錫來惝恍子焉初一
身忽見前庭敞千僧就泉流洗鉢紛攘攘劃然杳
無踪千石成法像聞此神爲肅斂容一合掌夜深
萬籟息天心月正朗萬有總歸空骸殼悉滌盪曠
視幽崖間千像一混茫

少林寺早餐僧供山蔬絕佳

眼甲石壯行起伏乘凹凸努力陟浮圖精舍爲小
歇僧云客何來一飯聊麁設溉釜炊香秔石花（產上

盤可作茗）拾岌業野薇相鮮新豆苗雜杏葉（俱菜名惟盤生之）
拂几纔畀陳盈户鬱芬洌清氣入肝脾濁氣一滌
雪官竅何蕭曠心神倏超越此味或蓬壺塵凡何
處索豈惟鄙肉食仙卉軼薇蕨

拂子偈題於淨業菴

拂去一層塵立得一層淨塵隨我手揮淨却于誰
倩

抵雲罩寺夜宿（踞盤絕頂由山下登之計三十里）

屐齒迢迢陟上盤到時肅拜古旃檀風雷俯向山

腰聽星斗平臨檻外看西去氤氳連紫極東來沙漠控烏桓危峯雲卧難成寐裊裊浮香夜未闌

天城寺

石門徐步下有寺夙知名屏曲翠爲室（寺後翠屏峯乃山之曲室）峯迴天作城花宮瞻法象松壑領虚清光境都無着（寶積云光境俱忘復是何物見傳燈録）翛然淡我情

十六石詠

巨石垂千尺憑虚勢若浮爲慙道力薄時作杞人憂（懸空石）

一指揺之動千夫挽不移箇中有真佛消息許誰知（揺動石）

唐師擊遼時眼甲曾茲駐怪底澗泉飛長鯨終古怒（眼甲石相傳唐征遼李靖于石上眼甲）

何來介冑翁屹立威棱峻天降李將軍永作長城鎮（將軍石）

衛公舊東征椓帳依山麓何不擴其基恢恢藏地軸（帳房石）

不競蒲荷秀遷喬到碧巒知君原智水晩節造仁

山

菱角石

誰爲赴壑蛇蝟蜡鱗爪動此地毓靈區豈無龍與鳳

蟒石

呢喃寂不聞雙剪迎風扇億萬可分身凌空飛燕燕

燕子石

玉冠蒼水珮遥望儼真仙何日蓬萊島飛空降偓佺

仙人石

何計渡迷津浩海無涯畔冥坐得慈航豁然登彼岸

法船石

來尋佛處所頂額自身求見大博語録座下石方丈妙

如猶點頭

談禪石

潛究内典書錫汝蒲團坐團以石爲蒲蒲歷刼誰能破

蒲團石

霖雨渥八垓雲根于玆託若說雲無根如何雨有脚

雲根石

曳杖青溝前灑然坐石版何當熱惱塲煮作清凉散

清涼石

誰將五色箋灑向寒雲麓鴻鴈漸于磐濡毫揮滿

幅雲箋石

天池菴一石水石相清潔取以淪靈臺不生亦不滅 洗心石

讀盤志歷代高僧傳有感

象教嗟衰微宗風誰是主粵稽田盤山歷代多法侶唐有寶積師北面奉馬祖屠子暨歌郎俚辭沃靈府四大頓空無三乘直探取厥徒曰普化衣鉢能繼武大智深深藏外作癲詭語旋風連架打一鐸振聾瞽越遼金元明非覺嚴慧二人遼僧甫圓新金泊巢雲元憨山與德聚俱明支泒雖分流大雄脊入户迨及我 熙朝大傅操修古求佛指頂門一笑雙掌鼓亦越拙菴師雄毅而温煦飛錫來青溝大整沙門矩定中制毒龍座下驅猛虎翦偈闡微言名卿服教屢阮亭牧仲諸公寶普兩師還此公堪振旅卓哉千餘年燈傳悉可譜一腔無罣礙六毒纔刦拒迴看彼緇流紛紛千百數

下盤山過漁泉小憩

雖從觀海後一勺也堪多亭榭聊成局淪漣不作

波涼風霜葉下哀鴈塞雲過迴首三盤路悠然發嘯歌

戲呈張篤周致謝遊盤之約(篤周名永祜高陽人時爲

薊州訓導

我聞幽并之山盤爲首天台雁蕩差堪偶夢魂鬱結思悠悠三山海上吾何有可望難即空復情多君析東輿臺走開函讀之喜欲狂拘攣頓解精神抖凌晨促僕駕巾車驅之驅之盤谷口主人衆客接輿來掀髯一笑齊拍手相將指顧躡三盤上松

中石下泉吼(上盤松中盤石下盤水各擅奇勝)晦明夷險轉轆轤乍忻乍愕情不守譬如窶人突入富豪厨海山珍錯厭所取又如鄉里小兒入五都珠璣貨貝難分剖五日爲期興不闌上天下地窮其九不有張君東道賢名山交臂終相負嗟我一生幾勝遊屈指率皆須我友香山來招海公齡(海齡字涵百正白旗人滿洲學訓導歷禮部員外郎)上方依倚得賈叟(賈諱天祿字簡菴奉天人房山訓導)西域(山)寺石經(山名)恣意探宗張(宗名□□監生張名學程廪生俱涿州人)兩生相左右獨有田盤集其成獨有篤周情逾厚篤周

雅貺奚以酬遵化多山君到否面前明月並清風

五峯鷲嶺峙其後一邱一壑致足觀但對盤俱山名

山仍培塿厚往薄來古訓垂木桃莫笑酬瓊玖

中秋過十弟月下小飲次韻答之

一自淡甕封酒甁將經週歲不思開今當頭上中

秋月兼寫庭前鴈序來雲淨遙天澄玉宇光升溟

海映珠胎有生此會原無幾余任諸庠弟歷各館中秋之會四十餘年曾無三四莫問從茲復幾回弟詩云白頭兄弟中秋月此後知同看幾回

次韻答李立軒陽春令

半生蓬轉寒氊裏七十歸田一老夫户外掊尋殊

落落牕前睡覺自于于行藏未審成何局耕讀惟

思力本圖惠我陽春揄過分謹從梓匠受全模見魏都賦

秋夜獨坐有懷遵化諸友

入夜何蕭寂天高氣倍清疎林篩月影冷鴈曳霜

聲感物秋將老懷人句忽成幾年經契濶默默對

寒檠

咏懷

溷迹塵寰裏游情太古間一編常在握萬事總無闗貌爲吟詩瘦神縁遠俗閒百年能幾日聊以逞衰顔

蚤起對雪

雨雪連昏曉袁安乍啓門寒威侵老骨清氣滌吟魂俯仰何蕭曠江天一渾淪黄梅看已放興發欲開尊

除夕同十弟守歲次弟韻

當筵莫問夜何其俯對椒盤意欲迷隻影伶仃曾去歲（去年八兄既逝弟以病殢新安余獨守歲）連床慰勞又斯時銅壺漏下頻催翦銀燭燒殘更泛卮最是阮咸闗叔念十年久借上林枝（弟詩懷及廷掄）

老棠吟

庭前老棠樹冉冉逾四紀栽蒔灌溉之明艷冠邱里我從癸未初投簪歸桑梓歷申酉戌歲繁茂猶可喜每當寒食後親故胥來止一詠復一觴清芬襲筵几胡爲丁亥交花事不如始更迨今年春零星幾殘蕊皮剝枝亦乾厲階良有以回憶廿載間

漂梗鄉庠裏薪木守無人排闥裂緘紙高柯繫馬牛穰條恣折毁壯盛被摧戕晚節胡可抵相對默相憐感喟弗能已有客向予言老稚推移耳試看厥根旁條枚已峻起棠棣雖分形溯原實父子截杜筍接之歲餘可相似須鋤其舊株新蔭方穰矣予曰吁咈哉胡忍而爲此安懷各抱情草木應爾爾剥復互乘除衹順其常理

送高識文衡山尹歸葬

宅兆經營訖此辰杖藜相送泪沾巾歸來觴詠無

多日老去交遊賸幾人雨灑湘江膏已渥棠留衡岳蔭初勻誰知一夕扳歡處竟作三生石上論（高殁之前二日同諸友讌集渠獨縱飲高歌興會異常不期隔夕遂成永訣）

題江訓亭畫冊木芙蓉

冊繪六種一水仙二牡丹三蓮四秋棠次六以松梅殿之而木芙蓉居其五葢貞脆交關際也于此得間乃繫以詩

江君攜畫冊分咏諄相囑就中指一簡芙蓉別以木從頭繙閱之花木計凡六水仙合牡丹蓮與秋

棠續孟春越孟秋佳卉迭追逐披圖迄冬景松梅
殿厥牘四時各布置蕉雪不同幅芙蓉臚第五承
啓良有屬匪直賞墨妙其旨堪三復前四芬芳姿
按序呈郁馥後一雙清圖高潔風神肅惟兹木蓉
花中立自成局縟綵世所歆錦窠奪人目却負拒
霜骨森然並金菊入時還入古卓爾丰標獨所以
昔先民賞識邁凡族杜韓柳白歐吟咏不一足華
實貞脆交得此爲轉軸作者有深心莫作常葩矚
題罷寄江君珍重韞之匵

乾隆戊子孟夏兒子子廷掄以武選郎中京察
一等且蒙　記名予心悄然念　主德
難酬而隆名未易副也誠之以詩
釋褐爲郎官晋秩郎官長三載一考績三考陟上
上徵名書　御屏　天心垂鑒賞會當把一
麾褰幃憑軾廠所親俱稱慶我意殊怏怏　君
恩浩如海圖報實渺茫位高而無功灾咎惟影響
鼎折與漸磐敬肆分霄壤老子豈矯情弗禄來非
儻吾兒尚慎旃常凛持盈想

盛滿不可居虛懷念友生同事五六人相濟若和羹晨夕常與處肩隨宛弟兄今我爽然出衆志或未平辭氣稍不檢最易啓戎兵名高物所忌況乃盛氣盈遇物惟以謙居已惟以誠有過則引咎有功無與爭執雌而持下庶可保令名小子念之哉此義惟硜硜

即事贈郭蒼壁

長晝如年頻徙倚北牕假寐憑烏几客到齋頭説所聞聞之神竦發狂喜郭君蒼壁名灼琮乃翁祥

也壯無子外繼一子曰希全琮洎黃圖疊續似希全克友琮圖恭接木移花宛連理三人耕讀誓同心可保終身無間矣琮乃矍然動遠思有終不必如其始入稟嚴君出控官置產三分鼎足峙即令他年析箸時子孫無得相角犄持牒匍匐訴公堂堂上手額稱曰是既可其請更題門敦睦可風風厥里客言未訖我躍然澆風力破有如此每見角弓翩反徒蕭墻構釁堪髮指各鬩財賄私妻孥公產錙銖相較比物有好醜數寡多好醜不均多寡

抵偶當鈿合其數奇伯爭其蓋仲奪底甚者角牙
速獄成卒致身家兩俱毁嗚乎生不同氣氣翕合
慎始慮終且若彼嗟爾同室操戈人胡昧屬離在
毛裏試於清夜一捫心相對能無愧恧死振聾覺
瞶藉郭君我用是大聲霹靂空中起

述懷

老識衣食原每急作活務力本以貽謀非關氣衰
故雖云是慳耳雅俗不同路田園事偶涉悠然涵
理趣展也坡公言有味淡中具晚字改適昣聊以
學儉素坡云僕行年五十始知作活大要是慳耳而文以美名謂之儉素然吾儕爲之與俗人不同真可謂淡而有味也

水澇示佃人

嗟嗟爾甸徒豐歉常迴旋耕也餒在中祗安其固
然六月時徂暑雨暘期不愆東皐嘗縱目與與占
有年誰知晦朔交晝夜海倒懸高原與下隰漠漠
渾平川十無一二獲百室苦顛連升斗且不給況
乃入十千 聖主軫民瘼 宵旰深憂煎其咨
儆大吏議賑還議蠲勘灾如其分户各予生全

一人厪飢溺吾儕何虞馬努力事耕作勤苦應倍
前水涸來年植鼓腹熙皞天
廷掄奉　命守徐敬述祖德勗之
小子荷　寵榮出典彭城牧　君恩奚以酬
祖武舉相勗吾家仕宦譜行人冠首牘內念愨以
誠外相訥而木安南暨占城以禮制蠻目却金誌
館名南荒欽佩服亦越三都堂崢嶸各樹局身言
書判科鏞祖標高躅賫詔撫太原六郡資生育臥
理鴈門軍西羌紛竄伏憲祖幼登第秉鉞風霜肅

以直忤逆璫摧挫屢罰粟花馬與紅兒封豕脅勦
戮督漕疏事宜獻替中款曲憲祖入中祕經筵侍
講讀執政不相能出爲東藩副奉命勘宗藩情罪
如法鞫乘驄總太倉倉庾饒積蓄世廟議禮時逆
鱗且犯觸六世萊蕪公遺愛民尸祝追我曾王父
循聲播江瀆令祁守安慶計善難更僕萑苻靖浮
梁飢殍甦糜粥溢郡甫下車流寇烽烟熇闕監布
角犄垣塹力濬築以身冒矢石睥睨兩月宿劾死
民弗去賊衆卒奔逐我祖海防公徙海生全數承

檄録要囚平反釋冤獄子屢任師儒邢幽薊涿鹿
蘊湖未敢望振鐸無局促緬懷十世來前輝足可
燭崇替不一階豎立胥卓卓要惟清慎勤令終端
有俶擒也由兵曹一麾領八屬五馬非卑官二千
豈微祿事上以使下郡守爲轉軸吏胥何以戢士
女何以穀素食曠其官捫心能無恧矧兹古徐州
豪健其舊俗黄運當其衝郵亭兼水陸下邳更沮
洳十年九不熟八城資保障何恃爲之鵠曾聞前
守賢仰止高山矗黔祥建軾俞周晉唐宋續乘時

各宣猷德政史冊録遥遥承繼之何術追前轍抑
聞逍遥堂眆自坡公卜更有快哉亭亭峙龍山麓
民物咸自得乃敢寄高矚州邑未小康官情方蹐
跼何以嗣高踪泮奐無拘束自汝拜　命還我
意常蹙蹙有鼎倘足折能勿覆公餗敬將前事師
覼縷爲之告筆㪚而吻乾總以爲汝玉虎尾與春
冰安樂法良足祖武信克繩乃自求多福　天
寵其靡常貽謀不可黷念之重念之庶以免殆辱

除夕守歲步隨園韻

最後屠蘇莫感傷當筵二老坐中央謝庭瓊玉蕃新樹（是科孫子士堪胞姪孫玉琦暨從姪姪孫共售六人）徐郡逍遥履舊堂（兒廷掄守徐徐署有東坡逍遥堂）但使諸雛聯振翼何嫌兩鬢久經霜銜杯遠溯趨庭事（談及幼時庭訓）應識吾家一瓣香

隨筆拈尤韻三首

老人俛仰更何求日向羲皇上世遊以息相吹渾野馬觸人無怒泛虛舟偶翻舊譜敲棋局閒傍幽篁聽栗留最是栽詩新霽後梧桐月下足夷猶

一生無怨並無尤祇是隨緣汗漫遊昏夜知塗憐老馬忘機入世狎羣鷗捫心坦白除溝畛過眼韶華付水流猶憶當年方少壯書傭還作稻粱謀

過去方來那預籌園林到處作菟裘墨痕浸漬研龍尾畫幀模糊認虎頭塊壘都從靈府化風光時向錦囊收無荒尚自思良士敢任癡狂號醉侯

兗州南樓弔杜工部

牛酒終宵歿于今尚憐神南樓尋古蹟東郡憶先民戀闕逋臣苦趨庭愛日真題詩遺碣在讀罷泪沾巾